目次

経済界の中から理性の声
9条をもつ国の経済探求
日本共産党委員長　志位和夫さん
経済同友会終身幹事　品川正治さん……3
革新懇運動での出会い……3

平和を考える

米いいなり脱し軸足を国民に……6
戦争を起こすのも人間、止めるのも人間……6
憲法草案を読み仲間と抱き合って泣いた……8
海外派兵を許さない――年初めの大問題……9
9条と合致する平和の流れが世界を覆いつつある……11
「敵」を探すアメリカと敵のない日本国憲法……13
〝アメリカを問う世紀〟自主的な外交欠かせない……15

経済を考える

日本資本主義の大転換のとき……17
大企業から家計へ――経済の軸足の転換を……17
人間の尊厳を踏みにじる現状は放置できない……20
投機マネーを放置していいのか――経済界でも議論が……23

志位　大企業に社会的責任を
品川　国民がほんとに怒る年……26
巨額の国債――原因と解決の道は……26
地球環境問題――人類の生存のためのたたかい……28
ルールある経済社会、そして新しい社会主義……30
二〇〇八年を新しい前進の年に……32

《新春 響き合い 対談》

経済界の中から理性の声
9条をもつ国の経済探求

日本共産党委員長 志位 和夫さん
経済同友会終身幹事 品川 正治さん

解散・総選挙の可能性をはらみつつ二〇〇八年が明けました。激動の幕開けにふさわしく、経済同友会終身幹事の品川正治さんと日本共産党の志位和夫委員長とのビッグ対談が実現しました。戦争と憲法九条、二十一世紀の世界の流れ、資本主義の前途の問題まで壮大なスケールで語り合いました。

志位 明けましておめでとうございます。

品川 おめでとうございます。

革新懇運動での出会い

志位 いつも全国革新懇の代表世話人会で議論するのを楽しみにしています。昨年、品川さん

日本共産党委員長　**志位和夫**さん

しい・かずお＝1954年千葉県四街道市生まれ。現在、日本共産党幹部会委員長、衆院議員（５期目）。全国革新懇代表世話人。東京大学工学部物理工学科卒業。党東京都委員会、中央委員会勤務を経て、書記局長などに就任。著書に『日本共産党とはどんな党か』『希望ある流れと日本共産党』『歴史の激動ときりむすんで―日本改革への挑戦』など。

が革新懇運動に参加してくださったことに、多くの方が歓迎の声を寄せています。

品川　光栄です。革新懇では、たいへん活発な論議をされていますね。みなさん各分野の運動を担っている方々だけに、とても発言に重みがあり真剣です。

志位　私にとって、品川さんとの出会いは直接には革新懇ですが、品川さんは、八年前の二〇〇〇年一月三日付「しんぶん赤旗」に登場されていますね。

品川　ああそうでしたね。

志位　そこで「日本の資本主義は、その〝質〟が問われる時代に入っている」と、「リストラばやり」の大企業の風潮を批判され、政治と経済の軸足を、企業から家計・個人に移してこそ、「憲法の理念にたつ経済発展の方途が見えてくる」とおっしゃった。

品川　そうです。私は、経済同友会の専務理事や副代表幹事などをやってきました。何をやりたかったかというと、平和憲法をもっている国の経済はこうあるべきだというものを、一つでも実現したいというのが、私の気持ちでした。その立場から発言しました。

志位　私は、この発言を拝見して、経済界の中から理性の声があがってきたと感銘を受け、直後に開かれた党の会議（第二十一回党大会第五回中央委員会総会）で、品川さんの発言を引用して、修正資本主義者といいますか、まともな資本主義をつくろうという立場の方との共同が現実味を帯びてきたと報告しました。

そういう接点からはじまって、とうとう昨年からは、全国革新懇という統一戦線組織で、いっしょに仕事ができるようになったことは、たいへんに感慨深いものがあります。

経済同友会終身幹事　**品川正治**さん

しながわ・まさじ＝1924年神戸市生まれ。現在、経済同友会終身幹事、財団法人国際開発センター会長、全国革新懇代表世話人。東京大学法学部卒業。日本興亜損保（旧日本火災）社長・会長、経済同友会副代表幹事・専務理事を歴任。著書に『これからの日本の座標軸』『９条がつくる脱アメリカ型国家』『戦争のほんとうの恐さを知る財界人の直言』など。

品川　そうおっしゃっていただくとありがたく思います。私がなぜ（革新懇への参加という）決意をしたのかということですが、私は一人息子を亡くしていましてね。孫娘を子どもとして育ててきて、いま大学に入りました。

その若い人たちに、ほんとうの戦争というものはどういうものか、平和のありがたさというものをどう伝えたらいいか、そういったことが、私自身の人生の課題みたいになりましてね。ちょうど、教育制度の「改革」とか、憲法の改悪の問題だとかが、一番ピークを迎えようとする時期に、政治の動きにたいして、待っておったのではだめじゃないかなという感じがしまして、そういう決心をしたわけなんです。

平和を考える

米いいなり脱し軸足を国民に

戦争を起こすのも人間、止めるのも人間

志位　品川さんは、いまあちこちで講演されていますが、「八十二歳になったので八十二回の講演をする」とうかがって、そのお元気さに感嘆しています。

品川　講演では、「戦争、人間、そして憲法九条」という題で話をすることが多いのですが、「人間」というところに非常に大きな意味を置いています。

私は、一九二四年生まれなのですが、小学校に入った年に満州事変がはじまり、中学では日中戦争が、高等学校では太平洋戦争がはじまったという世代です。昔の旧制高校の学生といったら、たいてい哲学に目覚めるわけですが、私自身も、いま国家が起こしている戦争の中で、人間

としてどうするのかという悩みが一番根底にあって、カントやヘーゲルを読んだり、とにかく自分を納得させてから戦場に行きたいという感じでしたね。あと二年しか生きておれないと思っていた。それで、私はカントの『実践理性批判』だけは読んで死にたいと。必死になって読み、読み終えて十日後ぐらいに、召集を受けました。

志位　たいへん切迫した思いですね。それで、カントの本には、少しでも手掛かりはあったのでしょうか。

品川　いや、読み終えたという達成感みたいなものはありましたが、率直にいって、迷いのなかで軍隊に召集されました。私は、ほんとうの一兵卒として軍隊に入り、軍隊の一番最下級を経験しました。それで、兵隊の目から戦争をみるということが、できたわけなんですね。中国で、白兵戦のような激しい戦闘を経験し、迫撃砲で私自身が戦場で倒れ伏したりもしました。それで戦後わかったのは、戦争を起こすのも人間だし、それを止めることができるのも人間だと。なぜそれに気づかなかったのだろうと。

志位　なるほど。戦争は自然現象ではない。人間とは別のあらがえない力によって引き起こされたものではないということですね。

品川　ええ。そこが戦争中に育った人間にはわからなかった。だから「戦争、人間、憲法九条」という言葉を使っているんです。

憲法草案を読み仲間と抱き合って泣いた

志位　初めて革新懇でお目にかかったとき、品川さんが戦地からの復員船のなかで初めて憲法九条を読み、喜びのあまり仲間と抱き合って泣いたという話をされました。とても胸を打つ話だったので、経済界の中からも九条を守ろうという声が起こっているということで、参院選の政見放送のなかでも紹介させていただきました。

品川　私たちの部隊は終戦の翌年、一九四六年に引き揚げました。そのときに日本国憲法草案が載っているボロボロの新聞が船内で配られたんです。みんな泣きましたよ。戦争を放棄する、軍隊は持たない、国の交戦権は認めない、よくぞここまで書いてくれたかと、言葉にあらわすことができないくらいの感動を受けたんです。

志位　品川さんのこの話は、一部改憲論者がさかんに言ってきた、日本国憲法はアメリカから押し付けられたものだという、「押し付け憲法」論がいかに根も葉もないものかをしめす、歴史的な証言だと感じました。

私の母なども、空襲で生死の境をさまよった経験がありますから、「もう戦争をしないと、みんなで小躍りして喜んだ」といいます。国民の圧倒的多数は、新憲法を歓迎したのだと思います。「押し付けられた」と感じたのは、戦争を起こした人たち、それに反省しなかった人たちでしょう。

品川　憲法九条は、戦前から権力をひきついだ日本を統治しようとした人たちには、押し付けられた憲法なんですね。しかし、国民は、押し付けられたと思っていないですよ。最近は、改憲論者も、あまり押し付けられたといわなくなった。（笑い）

志位　そうですね。これは決着がついた議論になりました。

品川　現実には、いまアメリカから改憲を押し付けられているという問題が、すぐ人々の頭のなかに出てきますからね。（笑い）

志位　ほんとうですね。アメリカは、新憲法が施行された翌年の一九四八年に、早くも改憲の必要性の検討をはじめています。そしていま、アーミテージ元国務副長官などの二度にわたる報告書などで、あからさまな改憲の圧力をかけている。「押し付け」というなら、改憲論こそ押し付けの最たるものということになりますね。（笑い）

海外派兵を許さない――年初めの大問題

品川　自衛隊ができ、有事立法ができ、テロ特措法ができ、ついにイラクまで出て行きました。しかし、国民は、いくらぼろぼろになっても、九条の旗竿《はたざお》を離してないというのが、いまの憲法の状況だと思いますね。

志位　そうですね。九条はふみつけにされ、ぼろぼろにされてきたけれど、なお偉大な力を発揮しています。国民が旗竿をしっかり握り続け、この条文が存在するおかげで、自衛隊を海外に出しても、海外での武力の行使をおおっぴらにすることはできません。だから戦後いまだに日本の軍隊は一人の外国人も殺していないし、殺されていない。

品川 それを五年以内に変えてみせるといったのが安倍さんでしたが、国民は見事に参院選挙ではっきりと主権を発動しました。

ただもう一つ、気になるのは民主党の小沢一郎さんのことです。あの人は、憲法九条を変えなくても、国連の安全保障理事会の決議さえあれば、戦場といえども自衛隊を出すことは差し支えないと、そこまで憲法を拡大解釈をしようとしている。彼は『日本改造計画』(一九九三年刊)以来、これをずっと自説としてもっているわけです。この考えは、間違っているということを言わないと、国民が混乱するんじゃないかっていう思いがあるんですね。

それでほんとうなら八十二歳で、そろそろ活動をやめようかなと思ったんですけども、昨年、小沢さんがアフガニスタンで戦争している国際部隊に自衛隊を参加させるという話をしてから、余計、講演の回数が増えて。(笑い)

志位 黙っていられないと(笑い)。民主党は、昨年の年末に、政府の新テロ特措法案にたいする「対案」なるものを出してきました。読んでみて、これはひどいものを出してきたなと思いました。自衛隊の海外派兵の恒久法をつくる、条件しだいではアフガニスタン本土に陸上自衛隊を出す、国連の決定があれば海上自衛隊を「海上阻止行動」に参加させることも検討する、というような内容です。憲法をふみつけにして自衛隊の海外派兵をすすめるという点では、まったく政府・与党と同じ土俵のものです。今後、どういう展開になるかは予断をもっていえませんが、政府にとっては〝ありがたい案〟だと思いますよ。

品川 自衛隊の派兵問題は、今年まずはっきりと国民の意思を固めないといけない問題の一つでしょうね。

志位　はい。まずはいったん撤収させた海上自衛隊を二度と戻さない。国連決議があってもなくても、海上自衛隊でも陸上自衛隊でも、戦争支援の自衛隊派兵は憲法違反であり許さない。このたたかいはまず年初めの最大の課題です。

９条と合致する平和の流れが世界を覆いつつある

品川　憲法九条は、「人間の目」で戦争を見て、絶対にやらないと決めたすばらしいものです。当時の国際情勢が日本の憲法を国連憲章にたいして一歩先んじるものにまで押し上げた。そして現在、イラク戦争以降の国際情勢のなかで、九条の意味というのがうんと大きな意味をもつようになり、光ってきていますよね。その世界的な普遍的価値をわれわれとしては死守すべきだと思いますね。

志位　品川さんは、九条二項が、二十一世紀においては世界的な普遍性をもつようになるだろうという問題提起をされていますよね。

この点で、いまの世界を大きく見ますと、ＡＳＥＡＮ（東南アジア諸国連合）を中心としたＴＡＣ（東南アジア友好協力条約）がこの間、画期的な広がり方をしています。これはもともとＡＳＥＡＮの国々が結んだ条約で、独立・主権の相互尊重、内政の不干渉、紛争の平和解決、武力の威嚇《いかく》・行使の禁止などを取り決めた、いわば平和の共同体の条約です。それをＡＳＥＡＮの域外にも広げていこうという動きがおこってくる。

そして実際に、域外に広がりはじめたのは二〇〇三年以降なんです。二〇〇三年十月に中国とインドが加入する。二〇〇四年に日本、パキスタン、韓国、ロシアが加入する。日本はしぶしぶという感じでの加入でしたが。そして、二〇〇五年から昨年にかけてさらに広がり、昨年はついにフランスまで加入しました。参加国は二十四カ国、人口は三十七億人で、地球人口の57％を占めるところまで広がっています。

この平和共同体が、ASEANの域外に大きく広がった背景となったのは、二〇〇三年に引き起こされたイラク戦争でした。この無法な戦争は、悲惨な結果をもたらし、大破綻《はたん》をとげています。同時に、「戦争のない世界」を求める地球的規模での空前の平和の大波を作り出しました。ASEAN中心のTACも、この年を境に大きく拡大をはじめ、去年はとうとうフランスというヨーロッパの国まで加入した。EU（欧州連合）としても加入するという方向だそうです。

そうしますと、ユーラシア大陸のほぼ全体がこの平和の共同体に参加するということになります。欧州諸国といえば、かつて東南アジアを植民地にした国々ですが、そうした国々が東南アジアの呼びかけにこたえて、友愛と平等の精神をもってこれに参加するというのはすばらしいことです。憲法九条が目指している方向と一致する平和の巨大な流れが世界を覆いつつあります。この動きは、品川さんのいう憲法九条の二十一世紀的な普遍性のあらわれといえるのではないでしょうか。

品川　イラク戦争のために、戦争というものにたいする世界の見方も、潮流も、大きく変わり出したというのは、私もその通りだなという感じを受けているんですね。そのときに、あの憲法をもっている日本が、いちばんアメリカと近い形で、アメリカの戦争に協力しようという姿勢をもっていることは、世界の人から見れば、なぜだろうという感じをもつと思いますね。

いま委員長から、世界の大きな動きとして、具体的指摘を受けたことで、私も非常に大きな示唆を受けました。日本の憲法の普遍性について、私自身は、いままで世界のプレーヤーの国々が、そういう憲法を書けるかということには難しいと思っていたのが、ASEANを中心として、アジアから、そういう動きがはじまったというのは、ものすごく励まされることです。もう地域の単純な集合体じゃなくて、EUも含めて平和の固まりになっていこうとしている。

二十一世紀がそういう世紀であってほしいと私たちの言ってきたことは決して間違いじゃなかったなと思うようになりましたね。本来は、その指導的な役割を、憲法九条をもっている日本が果たさなければならないと思いますね。

二十一世紀というのは、〝アメリカを問う世紀〟となっています。そのときに、世界の大勢がこうありたいと願う理念を憲法化している日本が、なぜアメリカについていくんですかということになる。へたすると、〝アメリカと日本を問う世紀〟になりそうな感じがある（笑い）。私は、これほど、もったいないことはないと思いますね。

「敵」を探すアメリカと敵のない日本国憲法

志位　「日米同盟」の崇拝者たちは、すぐに「日米の共通の価値観」という。それにたいして品川さんは、〝アメリカと日本の価値観は違う〟ということを力説されていますね。私流に解釈しますと、アメリカがとっている世界戦略と日本国憲法の価値観はまったく違うということだと思うんですけども。

品川 そうです。そういうことです。アメリカは常に戦争をしている国です。日本の憲法には戦争をしてはならないとある。まったく価値観が違うのです。それなのに、思想界とかマスコミ界は、すぐに「共通の価値観」といって、超大国のアメリカと近ければ近いほどいいという考えになってしまっている。

志位 「日米は価値観を共有している」と政府がいえば、多くのメディアがそれを垂れ流しに書く。そのときに品川さんが、価値観がぜんぜん違いますよとポンと返すのは、これは鮮やかな切り返しだと思います。(笑い)

品川 たった一言ですみます。(笑い)

志位 アメリカの世界戦略というのは、常に「敵」を探し、先制攻撃の戦争をやるというものです。ところが日本国憲法というのは……。

品川 敵はない。

志位 敵はない。紛争が起こっても、平和的に解決する。

品川 だいたい価値観が一緒というけれど、世界で原爆を落とした唯一の国がアメリカで、落とされた唯一の国が日本でしょう。それなのに、価値観が一緒だといったら、世界史を一体どう解釈すればいいのか。

志位 価値観が一緒になっちゃった人が久間元防衛大臣ですよね(笑い)。原爆を落とされたのは「しょうがない」といった。アメリカの目で原爆を見ると、ああいうことになるんでしょう。
品川　あれはアメリカの論理そのものですね。
志位　アメリカの世界戦略と日本国憲法の価値観が違うなら、私たちは断固として日本国憲法の価値観を選び、二十一世紀に生かすべきですね。

〝アメリカを問う世紀〟 自主的な外交欠かせない

志位　もう一つ、アメリカをめぐって注目すべきことがあります。さきほどＴＡＣが世界を包むような形で広がっているとのべましたが、戦争と平和をめぐる世界の力関係が、大きく平和に有利に傾くなかで、アメリカもすべてを戦争だけで片付けるというわけにはいかなくなっているということです。

アメリカは、一方では、イラクやアフガンに見られるような軍事的な覇権主義をやっている。これは変えようとしません。日本でも世界でも「米軍再編」をすすめ、世界への〝殴りこみ体制〟を強化している。これも変えようとしません。戦争国家としてのアメリカの本質は変わっていません。これにはもちろん厳しい批判が必要です。

しかし、そのアメリカも、どんな問題も戦争だけで片がつくとは考えていません。とくに私が注目しているのは、対北朝鮮政策です。北朝鮮問題については、六カ国協議という枠組みのなかで、核兵器のない朝鮮半島を目指すという動きが、ジグザグはあってもすすんでいます。一昨年の秋に北朝鮮が核実験をおこないましたが、その後、アメリカが中国、韓国とも協力しながら、外交解決という方向で精力的に動きました。とくに、米朝の直接対話をはじめるという方向に、路線を転換したことは重要です。いまアメリカは軍事だけでは世界を動かせないということを感じはじめて、外交戦略も使うという対応をしてきています。

ところがそのときに、日本政府はどうかというと、アメリカの軍事につき従うのは得意だが、アメリカが北朝鮮問題で外交をはじめると、そちらにはついていけない。核兵器問題の解決のために国際社会が尽力しているのに、この大問題には不熱心な国だと見られている。足をひっぱるような行動さえしようとする。これは最悪の自主性のない態度です。この問題での転換が強く求められます。アメリカいいなりから脱却するとともに、ほんとうの意味で自主的な外交戦略をもった国にならないと、日本はほんとうに立ち行かないと感じています。

品川　おっしゃるとおりだと思います。世界の主なプレーヤーの国は、いまの日本の政権について、国際的な大きな流れから目をそらし、日米同盟だけをみた政策を実施しているとみて、そのことを異常だと感じています。そのことに国民も気がつく時期が来ているのではないでしょうか。

新年を迎えて、日本も北東アジアの平和に関して深い責任のある国だという立場にたって、はっきりと立脚点を切り替えないといけません。この日本の政治で、二〇〇七年から持ち越されている問題は、一つは、自衛隊の海外派兵の問題であり、もう一つは、北朝鮮問題を解決して平和をつくるということです。この二つは、あくまで今年きちんとけりをつけないといけない問題だと思いますね。

それにしても、どうして自民党政府はこれほどまでに全体の動きが読めないのか。理解しがたいところがあります。

志位　外交というものを、すべてアメリカに丸投げしてきたからではないでしょうか。自分の頭で何一つ考えてこなかったことが災いしている。さらに何でも軍事で対応しようという軍事偏重が根深い。それらがあわさって、ほんとうに外交不在の国になってしまった。それがあらゆる問題にあらわれているのではないでしょうか。

品川　憲法九条をもつ日本は、ほんとうは一番独自の外交をやれるはずなのに、アメリカの悪いところだけ全部まねしようとして、それがアメリカだと思っている。

志位　そこからの脱却をどうしてもはからないと、前途がありません。

品川　参院選でしめされた国民の気持ちというのを、それをやるひとつの大きな力にしないといけません。

志位　品川さんは、〝アメリカを問う世紀〟だと言われました。アメリカいいなり政治をこのまま続けていいのか、という太いところでの問いかけと議論が必要ですね。

経済を考える

日本資本主義の大転換のとき

大企業から家計へ――経済の軸足の転換を

志位　品川さんは、「企業を軸足とした経済」から「家計を軸足とした経済」への転換ということをずっと主張されています。まったく同感です。これは私たちの党の綱領の立場ともまったく一致するものだと感じています。

品川　私は、平和憲法をもっている国の経済は、国家経済をどうするかではなくて、国民経済をどうするかを中心にしなければならない、といってきました。その基本には「人間の目」で経済を見ていくということがあるんです。

日本の市場経済というのは、もともとは、市場原理主義とははっきり違うものだったのではないかと思います。医療、福祉、教育、環境、農業という問題を、すべて市場で解決しようという姿勢は誤りではないか。とくに小泉内閣以降は、新自由主義、あるいは「構造改革」と称する〝貧乏神〟で、国民生活全体が直撃を受けているのではないでしょうか。日本の戦後の経済がもっていたDNAとまったく違う形で経済運営がされるようになってきています。

志位　そうですね。軸足を企業から家計へということですけれど、軸足という点では、支配政党と財界は、戦後一貫して企業、とくに大企業を軸足にやってきたと思うんです。それはそう言えますでしょう。

品川　それは間違いないことです。

志位　ところがそれではいよいよ立ち行かなくなった。これが現在の状況だと思います。品川さんが「しんぶん赤旗」で発言された二〇〇〇年に、私たちは第二十二回党大会を開きました。そこで、戦後の日本経済の構造変化という問題を分析したことがあります。

一九五〇年代後半から七〇年代初めまでの「高度成長期」は、公害問題や物価問題などの矛盾が噴出しましたが、大企業の利益の一定部分が設備投資などをつうじて、経済全体に広がり、結果として国民生活のそれなりの向上にむすびつくという一面もありました。ところが八〇年代以降の「低成長」のもとでは、大企業はコスト削減によって空前の利益をむさぼり、働く人の所得は抑えられ、大企業の利益が国民生活の向上にむすびつかなくなるという状況が生まれました。大企業は栄えるけれど、国民はますます貧しくなるという状況になってきました。そういうもとでは、いよいよもって家計に経済政策の軸足を移さなければ、日本経済の未来はないということを、この党大会で打ち出したんですよ。

ところがその後、品川さんがいわれたように小泉・安倍内閣で、新自由主義、市場原理主義という形で、大企業応援型の経済政策を極端なところまですすめてしまった。大企業のもうけはバブル経済のときを上回って空前なのに、国民の所得は逆に下がるという状況をつくってしまいました。これでは家計と消費は低迷し、経済も健全には発展できず、結局は企業の利益も長持ちしない、そういう袋小路に入ってしまっている。企業から家計に軸足を変える、経済政策の大転換が必要だと思います。

品川　そうですね。ほんとうの意味で国民生活を直視することからはじめないといけません。七〇年代までの日本の高度成長期には、経済の成長の果実というのを国民に分けるんだというのが、行政といいますか、いま竹中平蔵さんたちが目の敵にしている官僚の気持ちの中にもあったと思います。経済が成長すればするほど産業間の格差が出る。それは税や財政で是正する。税財政をフルに使いながら産業間の格差とか都市と農村の格差とかを少なくしようというのが、いままでの日本の資本主義のなかにもあったと思う。

それが、アメリカというのは、配分するのは資本家だ、いっぺん資本家の懐に入ってから配分するんだ、という考え方なんです。その考え方に、最近では、日本もすっかり染まってしまった。この考え一色に染まっているのは、世界でも日米だけといってもいいすぎではないと思います。

志位　戦後の日本の資本主義は、大企業に軸足をおいた経済という点では一貫して変わらないけれども、その枠の中でも、ある時期までは、税でいえば所得の再配分を重視していく。地方との関係では地方交付税によって格差をならしていく。終身雇用という形で一定の雇用の安定がある。これは悪い方向にも作用したけれども、リストラによっていつ首を切られるかという不安におびえる今のような荒れ果てた状態ではなかった。それが八〇年代の中曽根内閣くらいからだんだん怪しくなってきて、小泉首相となったら、国民の暮らしの底がすっかり抜けてしまったという状況にきていると思います。ここは大本から変えないと、この先の日本は、経済でもほんとうに立ち行かなくなりますね。

人間の尊厳を踏みにじる現状は放置できない

志位　国民生活を直視するという点では、新自由主義のもとでの貧困の広がりはほんとうに深刻です。雇用の規制緩和が進んで、派遣労働がどんどん自由化される。日雇い派遣という形で、その日単位での契約の仕事で、使い捨てにされる若者が広がっています。

私は、最近、若いみなさんと話し合う機会があったんですが、いま若者が労働組合をつくりながら反撃に立ち上がっています。何に一番怒っているか。もちろん給料が少ないこと、有給休暇がとれないこと、「サービス残業」に怒っています。しかしそれだけではない。一番怒っているのは人間がモノ扱いされていること、人間としての尊厳が踏みにじられていること、ここへの怒りです。派遣労働者だとすると、たとえば、「そこの派遣くん」とかいう言い方で、名前さえ呼んでもらえない。同じ会社にいても、食堂も使わせない。そういう差別がまかり通っています。

「誇りをもって仕事したい！」と訴えながら歩く青年たち＝2007年5月、東京都港区

品川　人間扱いされていないことへの怒りですね。

志位　そうなんです。そこに一番の強い怒りがある。昨年五月、若者たちが東京・明治公園で三千三百人の雇用大集会を開き、大きな反撃がはじまりました。彼らが声をそろえて言っているのは、人間として扱えということですね。

品川　若い人に未来をどう保障するか。そのことへの思いがまったくない。むしろ人間の誇りさえ邪魔者にする格好ですね。これは、たった十年くらいの間に大きく変わりました。いま正社員が六割、十五歳から二十四歳の場合、正社員になっていないのが五割ですよ。それこそ、企業の思うままに一番安く使いたいという、そのどん底までいったと思うんですね。ユニオンに結集した人たちの気持ちというのは涙が出ますよね。結婚して、家庭をもってという未来図はまったく望めないような格好だ。この問題をこのまま放っておくということは絶対にできないと思いますね。

志位　これはまず若者にとって大変に不幸なことですが、彼らの未来を奪うというのは、日本の社会の未来、経済の未来もなくなるということです。経済の未来がなくなれば企業にも未来はなくなる。ここは思い切って労働のルールを立て直す。たとえば派遣労働については一時的・臨時的なものに限定する。日雇い派遣や登録型派遣はやめさせる。最低賃金を抜本的に引き上げる。均等待遇のルールをつくる。そういう社会的規制によって大企業の活動を民主的なルールのもとにおく。そういうルールある経済社会にしていかないと、日本の未来はないということを強く感じます。

品川　未来を完全に奪ってしまうような経済、社会というのは、もう持続不可能なやり方なのです。しかしそれによって企業は成長しているのだという論理にとらわれてしまっている。自民党、公明党だけでなくて民主党もそれに関しては同じでしょうね。

志位　そうですね。派遣労働を一般職に広げた法改悪は、日本共産党以外のすべての政党の賛成で強行されたことを忘れてはいけないと思います。

品川　規制緩和の中で一番大きな問題は、雇用の規制緩和でしょうね。

志位　やはりそこに貧困の根源があると思います。くわえて、医療でも介護でも年金でも障害者でも生活保護でも、社会保障から排除される人が広がっています。農業と農村は深刻な窮乏にみまわれている。そして税による所得の再配分が機能しなくなっている。〝大企業には減税、庶民には増税〟という逆配分になっています。その全体を根本から転換する本物の改革が必要だと考えています。

投機マネーを放置していいのか――経済界でも議論が

品川　経済をどうするという国民的論議をやらないで、アメリカ型の経済にスパッと変えてしまったわけですね。これが一番根源にある問題だろうと思うんです。アメリカの資本主義は正しい、一歩でもそれに近づけと、規制緩和とか「官から民」などのスローガンを叫んだ。それがいまの結果を招いたと思います。

問題は、市場に任せるという場合でも、健全なマーケットという意味での市場じゃないんですよね。資本市場ですよ。しかもその資本たるや過剰資本で利益を求めて動き回っている資本なんです。そういうのに任せるということでは、ほんとうはまともな経済運営はできっこないんです。

志位　そこが問題ですね。新自由主義の下でいま猛威を振るいつつある、もっとも悪質な資本は、投機的資本、投機マネーだと思うんですね。

品川　資本と労働の資本じゃないんです。

志位　そうです。労働者を雇用して、物をつくるためにお金を使うのではなくて、お金そのものを商品にし、通貨の取引、株や債権の取引で莫大《ばくだい》な富を得る、投機マネーが、実体経済をはるかに上回る規模で膨らんでしまった。世界の外国為替の取引は、世界の輸出入の総量のなんと百三十二倍になっています。

品川　ついこの間まで四十倍だったんですよ。（笑い）

志位　国境をこえて瞬時に動きまわる投機マネーが、国民生活に深刻な被害をあたえています。原油と穀物、生活必需品や食料品の高騰が大問題になっています。とくに寒い地方では、お年寄りが灯油を買うのにもお金がないことが、命の危険につながるような状態です。この冬に犠牲者を絶対出さないように緊急対策が当然必要になってきますが、原油、穀物の高騰の原因がどこにあるかといったら、国際的な投機マネーが、これらを投機の対象にしたことにある。そのために起こっている事態です。

昨年、ドイツのハイリゲンダム・サミットで、国際社会が協調して投機マネーを規制すべきだとドイツが提案したでしょう。反対したのは「日米同盟」です。マネー資本主義、投機資本主義を、世界では協調して規制しようという動きになっているときに、日米が結託して反対するという構図になっています。ここにもほんとうに打開しなければならない一つの大きな問題があると思っています。

品川　恐ろしいことに、そういう投機市場が、企業の活殺の権限をにぎってしまっているわけですね。ほんとうは日本の企業は5％の利益を上げていれば成り立つはずなのに、隣で10％の企業ができたら、お金は10％のところにしかいかないんです。20％の会社ができたら全部そっちにいっちゃうんですね。20%のところはどうやったかというと、まず雇用の徹底的なリストラをやった。それだけで、規模は小さくなっているけど、利益率は上がる。隣がリストラしたら、自分の会社もリストラしないでおれないように追い込んでいっているのが、いまのマーケットなんです。

志位　リストラをやり、賃金を減らせば減らすほど、ROE（株主資本利益率）が上がって、株が上がるという関係ですね。そういう横並びのリストラ競争で利益率を高めて競争していく。そこで稼いだお金が実体経済には使われないで、企業の買収だの、投機に使われる。こんどは自分がいつ餌食《えじき》にされるかわからない。企業社会も弱肉強食の極みともいうべき状態になっていることについて、経済界の中でもなんとかしたいという気持ちは広がっているんではないでしょうか。

品川　議論がおこっています。端的に言うと、日本を代表する新日鉄のような企業でさえ、買収におびえざるをえないような状況になってしまっているわけですね。しかも、その株を動かしているのが、外資なんですよ。東証の毎日の取引の六割はアメリカを中心とする外資です。彼らが値をつけているわけなんです。経済界にも「これでいいのか」という感じは非常に強く出てきました。投機資本を抑えないとまずいじゃないかと、経済界でも盛んに議論されるようになってきました。

志位　巨大な投機マネーが、一国の国民経済を食いつぶし、大手企業をも餌食にして動きまわる。これではまともな経済の発展、社会の発展はのぞめません。投機マネーを社会的に規制するためのルールを、国内的にも、国際的にも、きちんとつくることがどうしても必要ですね。

品川 そうですね。もう一つ、日本の伝統とずいぶん違うじゃないかといいたいことがあります。たとえば、最近ではどの会社でも、社長や取締役の給料というのは、ストックオプション（あらかじめ決めた価格で自社株を買うことができる権利）とかいう格好で、社員にはわからなくされているんです。

私たちが経営をやっていた時期には、一番多くとっているところで、社員の平均給与の八倍くらいだった。いまは百倍とか、アメリカの方は千倍とか当たり前だという状況です。リストラするときは自分が辞めるくらいでないとリストラの提案などできないというのが、日本の伝統だったんですよ。ところが、リストラした方が自分の給料が上がるという関係になっているんですね。

志位 そういうとてつもない貧富の格差拡大の仕掛けをつくったあげく、大金持ちに減税をするという政治は、たださなければなりませんね。

志位　大企業に社会的責任を
品川　国民がほんとに怒る年

巨額の国債――原因と解決の道は

品川 とくに小泉首相（当時）が「改革なければ成長なし」といってから、大きく変わってしまった。すべてが大企業のために規制緩和をするという格好になった。決して、権力からの規制緩和ではありません。大企業がもっと権力に近づくためのものです。

税制の改正でも、すべてそうでしょう。日本は大きな政府でもなんでもないです。国際的にみたら、先進国の中でも国家公務員、地方公務員の数は、アメリカと最低を争っているのが日本の現状です。

志位 だいたいフランス、イギリスの半分程度ですね。

品川 実際には、「大きな政府」というのは一つだけあって、それは政府の国債額、政府の債務が世界一大きいんですよね。しかし、それは誰のために、誰から借りたのかというと、家計部門から企業部門にお金を移すために、政府が国債という格好で借りている。

志位 結局、膨大な国債がどこからつくられたかといえば、もちろん公務員のせいではない。社会保障のせいではない。消費税をつくり、消費税を上げて、消費税で家計から吸い上げたが、社会保障は改悪の連続です。庶民から吸い上げたお金を、まず公共投資に途方もない規模でつぎ込んだ。軍事費はまったくの聖域にして年間五兆円規模の出費をつづけてきた。さらに大銀行の不良債権の処理と称して、税金を湯水のごとくつぎ込んだ。くわえて大企業にたいする減税のばらまきをおこなってきた。こうして借金を増やしたという構図ですね。

品川 ほんとうなら史上最高の利益を上げ続けている企業は、そうやって国民から借りたのなら、企業の責任で返すのが当たり前ですね。ところが、企業の法人税は下げる。そしてさらに大きな成長をという格好です。自分の責任でつくった借金を返すのを、「財政危機問題」と称して、また家計部門の金だけで手当てしようとしているのが、いまの消費税値上げであり、年金の問題であり、健康保険の問題です。

志位　こんなやり方が長続きする道理はありません。空前のもうけをあげている大企業には、ちゃんと借金を返済する責任を負ってもらう。社会保障や暮らしの財源という点でも社会的責任を負ってもらうというのが筋ですね。

品川　国民が直撃されているわけですから、今年は国民がほんとうに怒る年になるだろうと思いますね。

地球環境問題――人類の生存のためのたたかい

志位　さきほど品川さんが、市場に任せてはいけない分野がある、福祉、教育、農業、環境などがそうだといわれましたね。これらの分野というのは、「利潤第一」の市場にまかせてはならない。このことは私も強くいいたいと思います。

品川　その通りです。

志位　二〇〇八年には、環境の問題というのは、いよいよ抜き差しならない大きな争点になってくると思っています。去年ＣＯＰ13（国連気候変動枠組み条約第十三回締約国会議）がインドネシアのバリ島でおこなわれ、ＩＰＣＣ（気候変動に関する政府間パネル）という世界の科学者が最新の知見でまとめた報告書をふまえて、二〇〇九年を交渉期限として先進国と途上国が温室効果ガス削減目標と対策を検討するという合意をつくりました。ＩＰＣＣの報告書を読んでみると、恐るべきことが書いてあります。「温暖化が突然の回復不能な結果をもたらす可能性がある」、つまり手遅れになりかねないということです。

品川　温暖化の暴走がはじまるということですね。

志位　そうです。そういうもとで、ともかく二〇〇九年までに、新しい枠組みをつくろうという合意がされたのは前進ですが、採択文書の草案にあった「世界全体で排出量を二〇五〇年までに半減する」という数値目標は、もり込まれませんでした。数値目標にあくまで抵抗した一番の犯人は、アメリカと日本なんですね。現地の新聞「ジャカルタ・ポスト」が掲載した環境NGOの意見広告では、日米とカナダの三カ国が、いわば「戦犯」として指弾されました。

アメリカは京都議定書から離脱し、国際的な努力に背をむける姿勢をとってきました。日本も議定書で約束した二酸化炭素6％削減の目標は達成どころか、逆に6・4％も増やしています。財界の「自主性」にまかせ、協定をむすんで削減を義務づけないという姿勢です。逆に欧州諸国は、ドイツ、イギリスなどがのきなみ、京都議定書の目標を達成し、さらにもっと削減をやろうとしている。ここには、明らかに、違った型の資本主義があると思うんですね。「ルールなき資本主義」、とくに新自由主義のもとで大企業が〝あとは野となれ、山となれ〟式の利潤追求競争をおこなっている日米と、大企業にも一定の社会的責任を果たさせるルールのある経済社会をつくりあげてきた欧州と、著しいコントラストがあると思います。

品川　皮肉なことに今年は、北海道洞爺《とうや》湖サミットがありますからね。（笑い）

志位　このときに、「日米環境破壊同盟」でいいのかと。（笑い）

品川　これは、しばらく待ってくれなんていえる問題ではありませんね。人類の生存条件を守るためのたたかいに、今年は新たな英知と力をそそがねばと決意しています。

志位　そうです。ほんとうに待ったなしの課題になっている。この問題では、ＣＯＰ13を見ますと、中国を含めて途上国が、温暖化ガスの削減の枠組みづくりに参加し、行動を開始する方向にかじを切った。その発展段階におうじて、責任を果たすという方向に踏み出してきました。途上国も努力をはじめようというときに、日米が一番悪い役割を果たしている。人類社会が生存していくという点でも、いまの日米型の「ルールなき資本主義」、新自由主義型のやり方では、もはや立ち行きません。ここでも社会のあり方の転換が必要となっていることを痛感しています。

品川　これまでの話の総括みたいですけど、貧困の問題にしろ、マネー資本主義あるいは投機資本主義の問題にしろ、地球環境の問題にしろ、日本の資本主義として、いまの路線をそのまま続けていけば、それを克服するどころか、取り返しのつかない事態を招く暴走がはじまりますよというところまできているということですね。

志位　そういうことですね。この道では、どちらを向いても、人間の社会全体の未来がなくなるということだと思います。

ルールある経済社会、そして新しい社会主義

品川　日本の資本主義のまずい姿というのは、はっきりとここらで転換すべきだということで

しょうね。

志位　一言でいうと、「ルールなき資本主義」から「民主的なルールある経済社会」に切り替えていくことが求められていると思います。

品川　資本主義よ、人間の目でみてがんばれよというのが（笑い）、私なんかの見方なんですよ。

志位　人間が人間らしく生きられる、そういう経済社会へ。まず資本主義の枠の中でも、大転換が必要だと思います。

品川　同時に、もう資本主義のシステムも行き着くところまで来ているという感じです。私なんかも日常使わない言葉ですが、「新しい社会主義」ということを考えざるをえなくなるんですね。しかもそれは日本共産党のいうようにソ連型ではないものが。そのことを考えることが、ものすごく必要じゃないかと思いますね。

志位　「新しい社会主義」という言葉まで、お聞きできるとは思いませんでした（笑い）。しかし、二十一世紀を展望して、人類の生存と発展を長期の目で考えたら、そこに行き着かざるをえなくなっている。ラテンアメリカで、左翼政権がつぎつぎとつくられていますが、一連の国々で、つぎは社会主義という議論と探求がはじまっています。私たちは、二十一世紀を、資本主義をのりこえた新しい社会への世紀にしていくことも大きく展望しながら、がんばりたいと思っています。

二〇〇八年を新しい前進の年に

志位　今年は、総選挙含みでの政局展開になるでしょう。日本共産党の活動も、そしてご一緒させていただいている革新懇の運動も、大きな前進を刻む年にしたいと決意しています。目の前の国民の切実な要求を実現する活動に献身しながら、アメリカいいなりから抜け出すこと、大企業から国民生活へと経済政策の軸足を転換させること、この二つの大問題で、骨太でかつ現実にマッチした政策を展開しながら、国民のみなさんの気持ちをつかむ努力をしたいと思います。

品川　ほとんどの問題が二〇〇七年に出つくして、今年はその解決のため英知を傾けて取り組む年だと思います。ご期待申し上げます。私自身もなんとかがんばりますから、一つよろしくお願いします。

志位　お体を大事にされますように。品川さんは私どもからすると百万の援軍という感じがします。革新懇もさらに盛り上げるためにお力をお貸しください。今日は、ほんとうにありがとうございました。

品川　どうもありがとうございました。

（「しんぶん《しんぶん》赤旗」2008年1月1日付）